GW00360127

DWI'N BYW MEWN SW
GYDA'R CANGARŴ

Dwi'n byw mewn sw gyda'r cangarŵ!

Barddoniaeth am anifeiliaid

Gol: Myrddin ap Dafydd

Golygydd: Myrddin ap Dafydd

ⓗ y beirdd/Gwasg Carreg Gwalch

ⓗ y lluniau: Siôn Morris

Argraffiad cyntaf: Ebrill 2003

Rhif Llyfr Safonol Rhyngwladol:
0-86381-811-0

Cynllun clawr a'r lluniau tu mewn: Siôn Morris

Panel Golygyddol Llyfrau Lloerig:
Nia Gruffydd, Rhiannon Jones, Elizabeth Evans

Argraffwyd a chyhoeddwyd gan Wasg Carreg Gwalch,
12 Iard yr Orsaf, Llanrwst, Dyffryn Conwy
☎ (01492) 642031
🖷 (01492) 641502
e-bost: llyfrau@carreg-gwalch.co.uk
lle ar y we: www.carreg-gwalch.co.uk

Cynnwys

Cyflwyniad

Gest ti dy alw'n fochyn erioed? Neu'n hwch efallai? Dydyn nhw ddim yn enwau hyfryd iawn, yn nac ydyn? Ond eto, pan fyddwn ni'n bwyta'n flêr ac yn colli coco-pops ar hyd ein dillad ysgol . . .

Fuoch chi'n ffraeo fel ci a chath yn y tŷ acw? Ddwedodd yr athrawes dy fod ti'n fwnci gwirion pan ddringaist i ben y bwrdd yn y dosbarth? Mi wn i am un ferch fach sy'n cael ei galw'n bysgodyn aur am nad yw ei cheg hi byth yn cau!

Bydd rhai yn 'mulo' (fel mul), eraill yn 'hyrddio' (fel hwrdd) a rhai wedyn yn 'tyrchu' (fel twrch). Mae un plentyn y gwn i amdano yn 'gwylana' adeg cinio ysgol – h.y. mae'n bachu chips oddi ar blatiau plant eraill!

Na, dydi elfen yr anifail ddim ymhell o dan yr wyneb yn natur yr un ohonom. Dyma gasgliad newydd sbon o gerddi am greaduriaid – cofiwch eu bod nhw'n perthyn i chi bob un!

Myrddin ap Dafydd

Sw

Mae 'na bry yn y gegin
A morgrug ger y tŷ,
Pysgodyn aur mewn bowlen
Ac un gath ddu,
Pry genwair yn y pridd
A gwylan ar y to,
Ac weithiau dafad wirion
Yn dod i'r ardd am dro.
A gyda'r nos o'r goeden
Daw hwtian gwdihŵ,
A minnau'n credu'n aml
Fy mod i'n byw mewn sw.

Zohrah Evans

9

Eliffant
(addasiad)

Clwmp, clwmp, clwmp.
Traed mawr yn llwmpian.

Eliffant trwm
yn dwmp, dwmp, dwmpian.

Chwip, chwap, chwap.
Cynffon yn chwipio.

Swish, swash, swosh.
Trwnc yn chwyrlïo.

Fflip, fflap, fflop.
Clustiau yn chwifio.

Sh, sh, sh.
Eliffant 'di blino.

Liz Jones

Hipo

Yn groes i'r graen, mae'r hipo'n 'molchi,
O, dwedwch wrtho, Taid:
Does dim sebon ganddo, 'drychwch –
Mae e'n 'molchi yn y llaid.

Cangarŵ

Sbonc, sbonc, cangarŵ,
Cangarŵ, sbonc, sbonc.
Methu cerdded, cangarŵ?
Dyfal donc, dyfal donc.

Gwyn Morgan

11

Sblot y Ci

Mae gen i gi o'r enw Sblot
Nad yw yn lot o iws.
Mae'i goesau'n fain,
Ei flew'n llawn chwain
A blaen ei drwyn yn biws.

Ci a pharot

Mae gen i gi a pharot
A brynais ar ddydd Sul.
Mae'r ci yn sgwrsio ddydd a nos
A'r parot 'di llyncu mul!

Platypws

Tydi Platypws ddim yn debyg i fws
A tydio ddim byd yn debyg i blât.
Ond wrth gerdded i'r ysgol rhyw fora
Roedd un yn gorwedd wrth ymyl y giât!

Margiad Roberts

Cwynwrs!

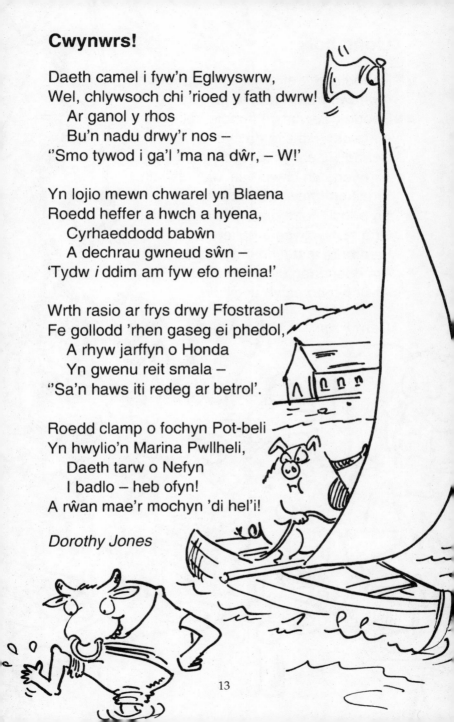

Daeth camel i fyw'n Eglwyswrw,
Wel, chlywsoch chi 'rioed y fath dwrw!
    Ar ganol y rhos
    Bu'n nadu drwy'r nos –
''Smo tywod i ga'l 'ma na dŵr, – W!'

Yn lojio mewn chwarel yn Blaena
Roedd heffer a hwch a hyena,
    Cyrhaeddodd babŵn
    A dechrau gwneud sŵn –
'Tydw *i* ddim am fyw efo rheina!'

Wrth rasio ar frys drwy Ffostrasol
Fe gollodd 'rhen gaseg ei phedol,
    A rhyw jarffyn o Honda
    Yn gwenu reit smala –
''Sa'n haws iti redeg ar betrol'.

Roedd clamp o fochyn Pot-beli
Yn hwylio'n Marina Pwllheli,
    Daeth tarw o Nefyn
    I badlo – heb ofyn!
A rŵan mae'r mochyn 'di hel'i!

Dorothy Jones

Llond bol

Roedd parti'r eirth yn y jwngwl ddoe
A phawb mewn hwylie gwych.
Roedd y llewod yn ffrindie 'da'r ceirw
A'r teigr yn fêts gyda'r ych.
Roedd y jacal yn swsan y geifr
A'r hyena yn chwerthin 'da'r chwain,
Yr eliffant mawr a'r llygoden
Yn priodi – orie dedwydd oedd rhain.
Ond och a gwae a galar!
Fe drodd yn ddydd o gywilydd –
Am ddeuddeg o'r gloch daeth y parti i ben
Ac fe fytodd pawb ei gilydd!

Dewi Pws

14

Paham?

Paham bod cŵn â phedair coes
A phobol ddim ond â dwy?
Pe byddem ni â phedair coes
Fe fyddem eisiau mwy.

Y parot bach call

Rhyw barot bach croes
A gollodd ei goes,
Ond mae o'n un call:
Fe gadwodd y llall.

Eilir Rowlands

15

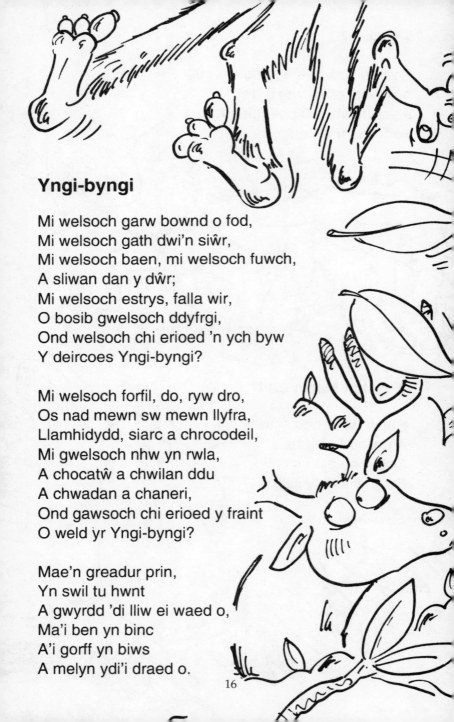

Yngi-byngi

Mi welsoch garw bownd o fod,
Mi welsoch gath dwi'n siŵr,
Mi welsoch baen, mi welsoch fuwch,
A sliwan dan y dŵr;
Mi welsoch estrys, falla wir,
O bosib gwelsoch ddyfrgi,
Ond welsoch chi erioed 'n ych byw
Y deircoes Yngi-byngi?

Mi welsoch forfil, do, ryw dro,
Os nad mewn sw mewn llyfra,
Llamhidydd, siarc a chrocodeil,
Mi gwelsoch nhw yn rwla,
A chocatŵ a chwilan ddu
A chwadan a chaneri,
Ond gawsoch chi erioed y fraint
O weld yr Yngi-byngi?

Mae'n greadur prin,
Yn swil tu hwnt
A gwyrdd 'di lliw ei waed o,
Ma'i ben yn binc
A'i gorff yn biws
A melyn ydi'i draed o.

16

Mae'n byta malwod
O bob math,
Dio ddim yn un am frathu,
Ond dyn â'ch helpo
Os rhywbryd
Y digwydd iddo'ch sathru.

Mae'n gr'adur mawr,
Lot mwy na fi,
Mae 'mhell dros ddeuddeg troedfedd,
Ac er ei fod o'n gr'adur glân
Mae'n mynnu cnoi ei winedd!

Mae'n cuddio yn ei ogof laith,
'Mond saith sy ar ôl 'n y wlad 'ma.
Mae'n aros yno drwy y dydd
Rhag ofn i ddyn ei hela.

Os wyt am fentro i'w weld ryw dro,
Paid mynd â neb yn gwmni;
Cyfrinach fawr rhwng ni ein dau
Yw cartre'r Yngi-byngi.

Cefin Roberts

Dillad a deunyddiau

Ffwr yr arth, y llew a'i groen,
Camu'n greulon, gwisgo poen.

Ddannoedd y crocodeil

Mae dant yn fy mhen yn brifo'n arw,
Fedrwch chi ei dynnu?
Os na fedrwch – mae'n ddrwg gen innau:
Rhaid i mi eich llyncu.

Gwyn Morgan

18

Ci heb bedigrî

Mae Wmffra Brith yn gi o fath
er bod ei wisgars yn debyg i gath.

Mae'i goesau'n rhy fyr neu mae'i ben yn rhy fawr,
ac mae gwaelod ei fol yn rhwbio'n y llawr.

Mae ganddo glustiau fel batiau ping-pong,
trwyn ym mhob man fel pen blaen llong;
llygaid pysgodyn wedi'i ddal mewn mwg,
tafod glafoeri a gwên fach ddrwg,
dannedd cribin, gwasgod wen,
cyfarthiad morlo sy'n hollti dy ben.

Roedd un o'i deidiau yn labradôr
a'r llall, meddan nhw, yn seren fôr.

Ond er bod ynddo holl anifeiliaid byd,
mae'i gynffon yn siglo o hyd, o hyd.

Myrddin ap Dafydd

19

Plant dosbarth tri

'Dach chi'n bengaled fel mulod,
Yn llusgo fel malwod,
Yn ara fel crwbanod,
Yn ddigwilydd fel piod!

'Dach chi'n slei fel llwynogod,
Yn bigog fel cacynod,
Yn clochdar fel ceiliogod,
Yn aflonydd fel cnonod!

'Dach chi'n clegar fel gwydda,
Yn afreolus fel chwain,
Yn ffraeo fel cŵn,
Ac yn aflafar fel brain!'

Syr ddudodd hynna amdanan ni,
(Ni, angylion bach dosbarth tri).
Ond pan drodd i wynebu'r bwrdd du,
Gwelodd: 'Mochyn mawr tew ydach chi!'

Margiad Roberts

20

Y tshimpansî

'Hei! Ti'n perthyn i fi!'
meddai'r tshimpansî.

'Argol, ydw?'
gofynnais yn welw.

'Wel wyt y brych!
Sbia'n y drych!'

Margiad Roberts

Pe bawn i

Pe bawn i yn filgi
Fe redwn draw i'r dre,
A rhedeg adre hefyd
Erbyn amser te.

Pe bawn i yn forfil
Yn nofio yn y môr,
Fe nofiwn i America
A galw'n Singapôr.

Pe bawn i'n ehedydd
Fe hedwn tua'r lloer,
A hedfan 'nôl i Gymru
Cyn y tywydd oer.

Ond yn fy ngwely rydwi
Yn gwrando ar y glaw,
A fory cerdded fyddaf
I'r ysgol erbyn naw.

Selwyn Griffith

Pryfaid

Ma pryfaid yn betha piwis,
Bob amser yn suo yn flin
Heibio'ch pen chi un funud
Ac yna heibio'ch tin.

Mi gosan flaen eich trwyn chi
A'ch pigo ar gefn eich llaw.
Wel, maen nhw'n betha diflas
Ac anodd i'w cadw draw.

Mi boeran ar bopeth a bawa;
Join-ddy-dots yw eu patrwm bob tro.
Ond os digwydd un lanio o dan fy llaw
Dyna fydd ei ddiwedd o!

Margiad Roberts

23

Pwy yw'r perta'?

Un diwrnod yn y goedwig ddu
Trefnwyd gornest i'r creaduriaid lu
I ddewis yr harddaf ohonynt i gyd,
I ddewis y perta' yn y byd.

'Yn fy siaced werdd gen i siawns go lew,'
Ymfalchïodd y lindys tew.
Canai'r fwyalchen a'i melyn big,
'Y fi yn bendant ddaw i'r brig'.

Gwichiai'r llygoden a'i chynffon hir,
'Fi ydyw'r berta' yn y tir',
A'r wenynen mewn gwasgod melyn a du
Yn dangos ei hun a mwmian yn hy'.

Daeth llyffant gwyrdd i'r llwyfan toc,
A chrawcian yn gras, 'Bydd pawb yn cael sioc
O glywed mai fi, gyda'm llygaid mawr,
Sydd yn siŵr o ennill yr ornest fawr'.

Roedd y llwynog coch yn swanc i gyd
Gan ddweud, 'Fi yw'r hardda' yn y byd',
A'r gwningen yn ateb, 'Hei lwc i ti,
Does neb â chlustiau hirach na fi'.

'Mi hoffwn innau gymryd rhan
Yn y gystadleuaeth,' meddai llais bach gwan
Pry copyn a guddiai yn y gwair –
Buan iawn roedd y lle fel ffair!

Roedd pawb yn chwerthin a gweiddi'n wirion,
'Pry copyn blewog yn herio'r mawrion!
Ai jôc yw hyn, greadur hy'?
Pa siawns sydd gan bry copyn hyll, du?'

Yn sydyn daeth cawod drom o law –
Diflannodd bawb a 'mochel gerllaw,
Pawb, ar wahân i'r pry copyn di-lun
Oedd yn crio'n ddistaw ar ei ben ei hun.

Ar ôl i'r glaw beidio, daeth yr haul i'r nen,
Ac meddai'r dylluan, 'Mae'r ornest ar ben.
Mae gennym enillydd. Edrychwch 'nawr
Ar y creadur harddaf ar ddaear lawr'.

Yng nghanol y gwair, fel diamwnt drud,
Gorweddai'r pry copyn. Aeth pawb yn fud.
Disgleiriai'r we fel perlau gwyn.
Edrychodd yr holl greaduriaid yn syn.

'Ar ôl y glaw,' meddai'r beirniad deallus,
'Dim ond un ohonoch sy'n edrych yn daclus.
Y pry copyn, cyhoeddaf i'r byd yn awr,
Yw'r harddaf un yn y goedwig fawr.'

Zohrah Evans

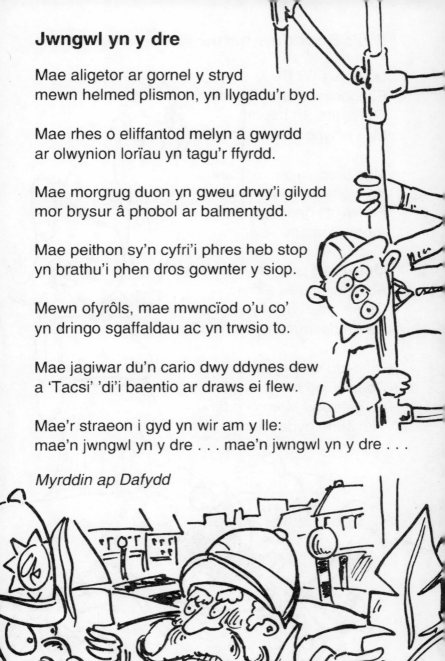

Jwngwl yn y dre

Mae aligetor ar gornel y stryd
mewn helmed plismon, yn llygadu'r byd.

Mae rhes o eliffantod melyn a gwyrdd
ar olwynion lorïau yn tagu'r ffyrdd.

Mae morgrug duon yn gweu drwy'i gilydd
mor brysur â phobol ar balmentydd.

Mae peithon sy'n cyfri'i phres heb stop
yn brathu'i phen dros gownter y siop.

Mewn ofyrôls, mae mwncïod o'u co'
yn dringo sgaffaldau ac yn trwsio to.

Mae jagiwar du'n cario dwy ddynes dew
a 'Tacsi' 'di'i baentio ar draws ei flew.

Mae'r straeon i gyd yn wir am y lle:
mae'n jwngwl yn y dre . . . mae'n jwngwl yn y dre . . .

Myrddin ap Dafydd

Bili'r Bochdew barus

Un barus ydi Bili,
Ein bochdew annwyl bach,
Fe fwytith Bili bopeth –
Mae'n syndod 'fod e'n iach.

Mae bron yn dwll diwaelod
Yn crensian fel rhyw gawr,
Fe fwytith gnau a hadau
A briwsion ar y llawr.

Mae'n well na pheiriant Hwfer
Am lyncu caws a chig;
Os na chaiff fwyd yn gyson
Mae'n dechrau mynd yn ddig.

Un dydd dihangodd Bili –
Does wbod ble yr aeth;
Fe geisiodd Mam ei ddenu
'Nôl adref gyda llaeth.

Ond doedd dim sôn am Bili –
Roedd gwacter ar ei ôl,
Pentyrrau bwyd yn aros,
Ond nid oedd ef mor ffôl.

Roedd Bili eisiau newid
Ei ddeiet, dybiwn i,
Fe ffeindies bâr o gyrtens
Ag ôl ei ddannedd lu.

Bu'n niblo coes y piano
A bocs banjo fy nhad;
Gadawodd llawr y wardrob
Mewn tipyn bach o stad.

Dechreuodd yn yr atic
I gnoi y dŵfe pinc
Ac wedyn aeth i'r bathrwm
A chwdu yn y sinc.

Diflannodd lawr y soffa
'Run amser â *Blind Date;*
Ro'n i mor falch o'i weld e –
'Ti'n ôl, 'rhen Bili – grêt!'

Ond nid oedd Bili'n fodlon
Dod mas o'r soffa las
A chlywsom ef yn rhedeg
Yn ôl a 'mlaen ar ras.

Roedd rhaid i Dadi godi
Y soffa ar ei phen
A Bili'n sgrablo'n ffyrnig
Rhag cwmpo'n wyllt drwy'r nen.

Daeth Mami draw a'r siswrn
A torri twll bach swel
Yng ngwaelod soffa newydd –
Aaaa dyna'i wyneb del.

Ar ôl ei anturiaethau
A blas ar bethau gwell
Dychwelodd 'nôl i'w gartref
I setlo yn ei gell.

Mae bwyd a diod ganddo,
Danteithion o'r dîp ffrîs;
'Paid mynd i ffwrdd i grwydro,
Arhosa Bili, plîs.'

A dyna wnaeth 'rhen Bili,
Fy mochdew barus glew,
Mae nawr rhy fawr i adael
Ei gaets, y cr'adur tew.

Gwenno Dafydd

Mot a Mwng

Mae'r ci yn cysgu yn ei wâl
Mae'i goesau e ar ras,
Sgwn i lle mae ei feddwl e?
Pa freuddwyd sy'n rhoi ias?

Mae'n cwrso Mwng, y gath fach, draw
Hyd lôn, hyd dyle serth,
I fyny ac i lawr y stryd,
O gylch y brwyn a'r berth.

Mae palfau Mot 'di aros nawr,
Mae'n cyfarth nerth ei ben.
Ond ble mae Mwng ym mreuddwyd Mot?
Ar gangau'r ddraenen wen!

Gwyn Morgan

Be 'dio?

Tydio'm yn cyfarth a tydio'm yn brathu
Na chwaith yn rhuo fel llew,
'Sganddo fo'm asgwrn na dannedd na thrwyn,
A 'sganddo fo'm ffwr, plu na blew.

Fedar o'm rhedag, a fedar o'm nofio,
Does ganddo fo'm coes, llaw na throed,
Does ganddo ddim sgyfaint, a tydio'm yn gweld,
A chlywodd neb mo'no fo rioed.

Mae rhai yn casáu mond ei olwg o, wir,
A sgrechian o'i weld o yn gwingo,
I rai mae o'n abwyd a llesol i'r pridd;
I sawl un, gall hwn fod yn ginio.

Ond er hyn i gyd; a goeliwch chi hyn?
Mae ganddo ddwy galon, nid un!
Ac fel tasa hynny ddim digon o gamp,
Gall hwn fod yn ddynes *a* dyn!

Be 'dio?

Cefin Roberts

(ATEB – PRY GENWAIR / MWYDYN)

32

Tylluan llinell wen

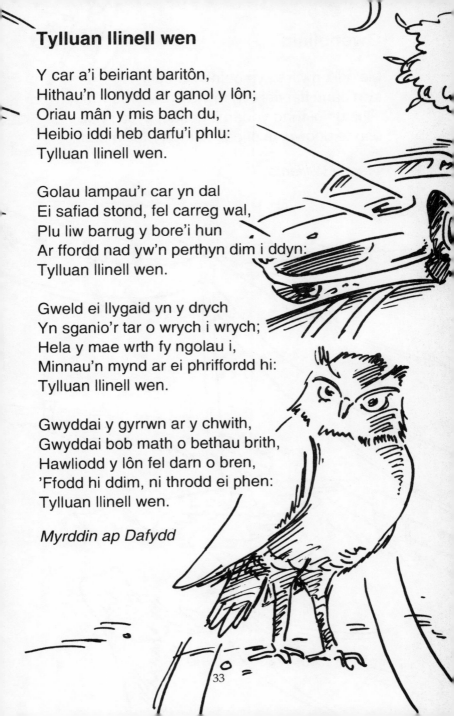

Y car a'i beiriant baritôn,
Hithau'n llonydd ar ganol y lôn;
Oriau mân y mis bach du,
Heibio iddi heb darfu'i phlu:
Tylluan llinell wen.

Golau lampau'r car yn dal
Ei safiad stond, fel carreg wal,
Plu liw barrug y bore'i hun
Ar ffordd nad yw'n perthyn dim i ddyn:
Tylluan llinell wen.

Gweld ei llygaid yn y drych
Yn sganio'r tar o wrych i wrych;
Hela y mae wrth fy ngolau i,
Minnau'n mynd ar ei phrifffordd hi:
Tylluan llinell wen.

Gwyddai y gyrrwn ar y chwith,
Gwyddai bob math o bethau brith,
Hawliodd y lôn fel darn o bren,
'Ffodd hi ddim, ni throdd ei phen:
Tylluan llinell wen.

Myrddin ap Dafydd

33

Gwenoliaid

Melodi'r gwifrau yn gefndir i'r côr
sy'n canu ffarwél cyn mynd draw dros y môr.
'Rhaid ffoi rhag yr oerni, gadael gyda'r haf,
ond fe ddown yn ôl pan fo'r tywydd yn braf.'

Valmai Williams

Y morlo llwyd

Cân llawn galar cân y morlo
am y dyddiau pan fu'n crwydro
dros y tir, a hynny'n chwim.

Heddiw'n drwsgl, 'drychwch arno
gyda'i deulu yn ymlusgo
i fyny'r traeth, ond ymhen dim –
dyna newid, – 'drychwch eto, –
O mor ystwyth nawr yn llithro
drwy y dŵr heb unwaith flino,
lawr i'r dwfn a chodi a dringo,
eto'n chwim.

Valmai Williams

Melba, y pirana gwryw (R.I.P.)

(Er cof am y pysgodyn uchod, a fwytawyd gan Peaches, ei wraig, yn Sw Fôr Môn, Mehefin 2000. Yn angof ni chaiff fod.)

Pan es i yn fora
Â'r brecwast gora
I'r ddau yn y tanc 'ma –
Doedd o ddim yma.

Oedd o'n cuddio? Y penbwl!
Na, mi chwiliais yn fanwl.
DOEDD o ddim yna.

Roedd Eirinen Wlanog
Yn nofio yn dalog
– A boliog.
Ac yn sydyn, mi sylwais
Ar ddarnau . . . palfais
A chynffon . . .
SGRECHIAIS!

36

Darnau o'i gŵr
Yn nofio'n y dŵr –
Ei brecwast, reit siŵr!

Cael ambell i ffrae –
Iawn, ond mae
Hyn yn wahanol –
'CANIBOL!'

Be wnawn ni rŵan?
Colli Melba druan . . .
Sut cei di blant
Heb ŵr at dy ddant?
Be am genhedlu,
Mei ledi?
Sut gwnei di
Heb Melba?
A? A?
Does 'na ddim un cymar
Wnaiff ddiodda dy dempar
A BYW!

Arna i roedd y bai,
Roedd o 'chydig yn llai,
Ac mi welodd ei mantas,
Yr hen gnawas . . .
A gwirion, 'falla,
Oedd rhoi enwa fel'na
Ar birana
Sy'n llyfu eu gwefla
Ac yn licio byta
Hyd yn oed . . . berthnasa!

Eirinen Wlanog,
Y weddw anfoddog!
Y canibal hyll
Fu'n gwledda'n y gwyll!
Y 'sgodyn lloerig,
Y PIRANA PERIG!
Chei DI ddim bwyd . . .
(O, mae 'ngwyneb i'n llwyd . . .)

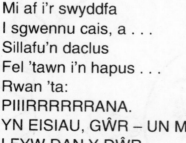

Mi af i'r swyddfa
I sgwennu cais, a . . .
Sillafu'n daclus
Fel 'tawn i'n hapus . . .
Rwan 'ta:
PIIIRRRRRRANA.
YN EISIAU, GŴR – UN MAWR, DI-STŴR
I FYW DAN Y DŴR . . .

Nesta Wyn Jones

Cleren fach heglog

Un bore yn gynnar
Cyn blasu jam mwyar
Dyma gleren fach goesiog
Busneslyd a heglog
Am eiliad yn hofran
Ger clwyd Parc y Daran.

Â'i theimlyddion yn crynu
A'r adenydd yn chwyrnu
Meddai'r gleren flonegog
Yn gynnwrf glafoeriog –
'Aroglau tail gwartheg,
Dom asyn a chaseg!'

Dyma wibio yn sydyn
Trwy'r eithin a'r rhedyn
A throelli wrth hedeg
Cyn plymio fel carreg
Gan ddisgyn yn sglefriog
Ar dwmpath gwlyb, gludiog.

Dom ffres yn ageru
Yn meddal fyrlymu
Yn woblo fel jeli
Neu siocled 'di toddi.
A'r gleren wrth badlo
I'r hylif yn suddo.

'Rôl blasu diferyn
O'r gwrtaith gwyrdd-felyn
Dyma hithau y gleren
Yn teimlo bod angen
Melysfwyd i ddilyn
Ei brecwast gwybedyn.

Ar wib dyma hi'n hedfan
I ffermdy Cwm Dwyfran
Trwy ffenest y gegin
Â'i bryd ar ei phwdin.
Chwyrlïo yn gelfydd,
Osgoi pob erlidydd.

Gweld brechdan jam mwyar
A glanio yn feiddgar
Yn dwt yn ei chanol
A'r traed arogleuol
Yn tylino y ffrwythau
Yn gymysgedd o flobiau . . .

'Mam, Mam. Dw'i 'di cyrraedd, Mam.
Mam, dwi'n barod – brecwast, Mam!'

'Ti 'di glanhau dy ddannedd?'
Holai'r fam ddiamynedd –
Roedd Elwyn fel arfer
Yn hwyr a difater
Yn cychwyn i'r ysgol –
A hynny'n fwriadol.

'Cer! Brysia y pwdryn,'
Gwaeddai'r fam ar y lolyn
Gan estyn yn sydyn
Fonclust i'w ddilyn . . .
Ac yntau heb loetran
Yn cipio dwy frechdan.

Wrth ruthro o'r gegin
Fe wasgodd dwrn Elwyn
Y gleren fach druan
Yn slwts, rhwng dwy frechdan.
Ac yna heb oedi
Bu'n llyncu'r budreddi.

Trwy'r bore'n ei wersi
Bu storom yn corddi
Y slwj yn ei stumog
A'i berfedd tymhestlog . .
Â phoenau'n ei frathu
Bu'n gwingo a gwasgu.

Pan fo'r tywydd yn arw
Daw clec fawr a thwrw.
Bu twrw'n y dosbarth –
Yr athro yn cyfarth
A'r plant yn eu dyblau
Yn gwasgu eu trwynau.

Emyr Hywel

41

Pws

Un feddal ydi Pwsi
Pan rof o-bach i'w ffwr hi.
Mae hi mor fwyn
Yn gwthio'i thrwyn
I drio llyfu'n llaw i!

Mae'n ddigri yn ei 'sgafnder
Wrth neidio ar fy nghader,
A'i thafod pinc
Yn mynd fel chwinc
Wrth yfed llaeth o'r soser.

Ond heddiw wrth 'mi gychwyn
I'r ysgol, mi ges ddychryn:
Ger drws y tŷ
Roedd swp o blu.
Roedd Pws 'di lladd aderyn.

Dyfan Roberts

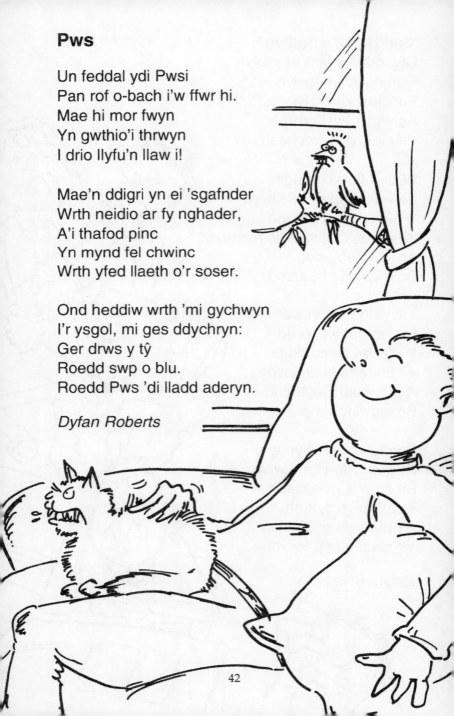

Ymson y llygoden fochog euraidd

(Herwgipiwyd *hamster* o ysgol yng Nghorris a gofyn pridwerth o
£1,000,000 amdani.)

Pwy ŷch chi'n meddwl wy' i,
w?
Mab Lindbergh neu John Paul Getty?
Dim ond pelen o flew melyn, wy' i.
Rhywun mae'r plant yn gallu gweud
Cwtshi-cwtshi-cw
Wrtho. Dyna'n gwaith.
Efalle 'mod i'n werthfawr iawn
I'r plant,
Ond smo nhw a'u rhieni a'u cymdogion
Yn mynd i grafu miliwn o bunnoedd at ei gilydd
Er mwyn achub 'y nghroen i.
Dim ond tair punt y talwyd amdana i
Mewn siop ym marchnad Pontypridd,
Heb y caets ('y nghhartre, 'da'r olwyn-ysgol
Y gallwn ei dringo-droi drwy'r dydd
Yr hwn wy'n hiraethu amdano nawr) dim
Ond bocs cardbord
A dyma fi nawr, mewn sach!
Ych-a-fi,
Fel y llygoden honno
Yn y Mabinogi.
Ond, miliwn o bunnoedd?
Chi'n jocan, w!

Mihangel Morgan

43

Pry copyn bach

Pry copyn bach i fyny fry
Yn ddiwyd iawn yn gwau ei dŷ.

Pry copyn bach yn mynd am dro:
Abseilio'n sionc o'i dŷ bach o.

I lawr, i lawr ar edau gre;
I lawr, i lawr ymhell o'i we.

A glanio wnaeth yn ddistaw bach
Ar fryncyn mawr heb fawr o strach.

Roedd ogof dywyll o dan y bryn
A chwilio wnaeth am fwyd fan hyn,

Yng nghanol coedwig dywyll ddu,
Chwilio a chwilio yn ddyfal fu

Am bryfetach blasus o bob math
A'r coed yn dal, yn bymtheg llath!

Ond toc daeargryn anferth ddaeth
Ac ar ei ôl daeth corwynt gwaeth:

'Ha-TSHW! Ha-TSHW!' fe dishiodd Taid,
a'r pry copyn bach a roddodd naid!

'Ha-TSHW!' A saethodd fel corcyn potel
Allan o'r goedwig dywyll, ddirgel!

Ond ble y glaniodd? Wn i ddim
Ac i ble'r aeth â'i goesau chwim?

A dyna pryd y gwelais o
Yn dringo'n wyllt fel pry o'i go

I fyny, fyny, 'nôl i'r ne,
I fyny, fyny ar edau gre.
Ac yna sibrydodd o glydwch ei we
'A' i fyth eto am tec-awê!'

Margiad Roberts

Twr Babel-babl-ba

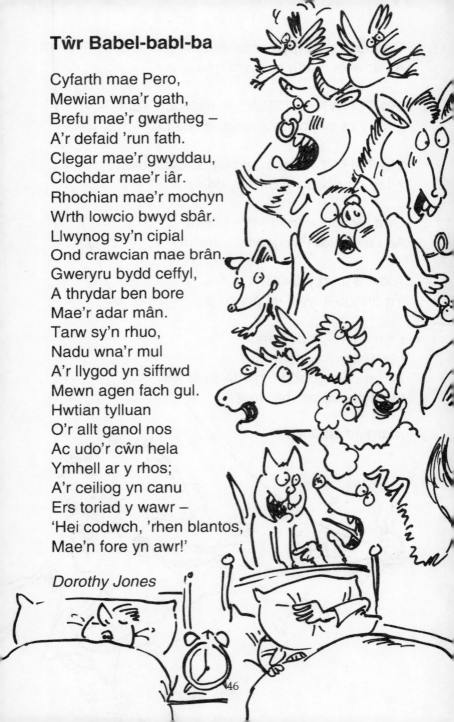

Cyfarth mae Pero,
Mewian wna'r gath,
Brefu mae'r gwartheg –
A'r defaid 'run fath.
Clegar mae'r gwyddau,
Clochdar mae'r iâr.
Rhochian mae'r mochyn
Wrth lowcio bwyd sbâr.
Llwynog sy'n cipial
Ond crawcian mae brân.
Gweryru bydd ceffyl,
A thrydar ben bore
Mae'r adar mân.
Tarw sy'n rhuo,
Nadu wna'r mul
A'r llygod yn siffrwd
Mewn agen fach gul.
Hwtian tylluan
O'r allt ganol nos
Ac udo'r cŵn hela
Ymhell ar y rhos;
A'r ceiliog yn canu
Ers toriad y wawr –
'Hei codwch, 'rhen blantos,
Mae'n fore yn awr!'

Dorothy Jones

Ar gefn fy ngheffyl

Mae gen i geffyl gwyn
Mor wyn â'r eira glân,
Ac ar ei gefn mi awn heb lol
Drwy ganol dŵr a thân.

Ac os bydd Mam yn flin
A 'Nhad yn dweud y drefn,
Mi alwaf ar fy ngheffyl gwyn
A neidiaf ar ei gefn.

Mi gaf fy nghario'n braf
Uwchlaw y sŵn i gyd
A minnau yn y cyfrwy'n saff
Heb drafferth yn y byd.

Ac yn yr ysgol fach
Os bydd y wers yn sych,
Pan fyddaf fi yn codi llaw
Fe ddaw fy ngheffyl gwych.

Sibrydaf yn ei glust,
A phawb yn syllu'n syn.
Rwy'n amau weithiau ydyn nhw
Yn gweld fy ngheffyl gwyn.

Edgar Parry Williams

Llygod bach

Dyw Liwsi'r gath yn gneud dim byd,
Dim ond canu grwndi o hyd.

Sai'n credu bod hi rioed 'di gweld
Y llygod bach sy dan y seld.

Fe fyddan nhw yn dawnsio'n llon
Wrth fyta'r caws bob tamaid bron.

Mae Liwsi'n gorwedd ar y sedd
Yn llond ei chôt a braf ei gwedd.

Ac fel ei bòs – sef Nain i mi –
Mae'n ffrind i bawb, a dyna ni.

Mae llygod bach yn byw yn rhwydd
Ers i Liwsi gwpla'n ei swydd,

Ond falle bod hi'n drwm ei chlyw,
Neu'n credu fod gan lygod hawl i fyw!

W. Dyfrig Davies

Crëyr ar afon Seiont

'Be wyt ti'n wneud mor unig
Yn syllu ar y dŵr?
Hei, gwranda, does na'm tamaid
I'w gael yn fan'ma, siŵr.

'Mae'r gwynt yn chwythu'n filain
O ben Elidir Fawr;
Mae'r pysgod wedi 'madael,
Pam nad ei dithau'n awr?

'Cyfod ar dy adain
Uwch oerfel helfa wael,
Tro draw o'r erwau gerwin
I wledydd coeth yr haul.'

'Na, na, mi safaf yma
Yn llonydd uwch y lli.
Tra pery dŵr i lifo,
Hon yw fy afon i.'

Dyfan Roberts

49

Byd y pysgodyn aur

(Yn ôl rhai, ni all pysgodyn aur gofio dim mwy na'r pedwar eiliad olaf o'i fywyd.)

Petai pysgodyn aur yn dysgu iaith
Fyddai hynny fawr o werth ychwaith:
Mewn pedwar eiliad byddai'n tawelu
A'r geiriau i gyd wedi'u chwalu;
Dyna pam mae'i sgwrs mor blanc:
Dim ond chwythu swigod yn ei danc.

Petai pysgodyn aur yn mynd i'r ysgol
Byddai'i 'symiau yn y pen' yn ddifrifol;
Fyddai'i lythrennau chwaith ddim yn dda:
Erbyn cyrraedd 'Ch', byddai'n anghofio 'A';
Byddai'r gwersi hanes yn anodd iawn;
Beth wnâi pan ddôi yn ddiwedd y pnawn?
Aiff fyth yn athro na gweithiwr banc,
Dim ond treulio'i ddyddiau yn ei danc.

Petai pysgodyn aur yn mynd ar ei wyliau,
Byddai'n anghofio pacio i ddechrau,
Anghofio'r ticed i fynd ar y jet,
Anghofio sbectol haul a het,
Anghofio enw'r gwesty, mae'n siŵr,
Anghofio nad oes ganddo ddim ofn dŵr,
Anghofio gwisgo siwt nofio swanc
Ac anghofio gadael ei danc.

Petai pysgodyn aur yn naw mlwydd oed
Ni chofiai mo hynny hyd yn oed,
Ar ei deisen ben-blwydd bob tro caiff ddathliad
Mae pedair cannwyll – un am bob eiliad;
Aiff o fyth yn hen, mae'n fythol lanc
Yn nofio'n ôl a blaen yn ei danc.

Dyw llenwi'i ddiwrnod ddim yn boen;
Does dim byd yn dân ar ei groen;
Nid yw'n dal dig nac yn cynnal ffrae;
Does ganddo ddim syniad sut i ateb 'Sut mae?'
Mae'n llithro yn llipa a llyfn gyda'r lli
A phob troi rownd yn sypreis ac yn sbri.
Ydi o'n hapus? Pwy ŵyr? Ond wedyn
Mae'n anghofio'i ddiflastod yn sydyn.
Ei fyd yw ei fowlen ac â meddwl blanc
Mae'n chwythu swigod yn braf yn ei danc.

Catrin Dafydd

Morgrug

Bydda i'n meddwl weithiau
wrth edrych ar forgrugyn – yn ei fyd mawr bach
dan y garreg wrth y drws ffrynt,
Bydda i'n meddwl weithiau
tybed ai rhyw fath o forgrugyn ydw i?
Yn fy myd mawr bach.

Pan fydd daeargryn yn Tseina,
ai morgrugyn mwy sydd wedi cicio'r garreg fawr
sydd uwch ein pennau ni?

Pan fydd llifogydd yn India,
ai morgrugyn mwy sydd wedi tywallt bwced o ddŵr
a'r ffrwd yn golchi'r rhai bach i ffwrdd?

Pan fydd gwres tanbaid yn Affrica,
ai morgrugyn mwy sydd wedi symud y berth
oedd yn cynnig cysgod i'n carreg ni?

Ac mi fydda i'n meddwl weithiau
wrth edrych ar forgrugyn – yn ei fyd mawr bach,
yn rhedeg yn gyflym gyflym,
Ydy ei fam yn gweiddi arno
a fynte'n hwyr adre o'r ysgol?
Ydy o'n cadw'n heini ar gyfer gêm bêl-droed?
Neu ydy o'n rhuthro'n hollol ddibwrpas?
Achos morgrugyn ydy o wedi'r cwbwl.

Dwi'n meddwl mai morgrugyn ydw i,
a bod morgrugyn mwy yn codi fy ngharreg
ac edrych i lawr arna i
weithiau
yn fy myd mawr bach.

A bydd y morgrugyn mwy yn meddwl weithiau
wrth edrych arna i – yn fy myd mawr bach,
dan y garreg wrth ei ddrws ffrynt,
Bydd o'n meddwl weithiau
tybed ai morgrugyn ydi o?
Yn ei fyd mawr bach.

Carys Jones

53

Greddf hela

Be wyt ti, Tabi,
P'un ai gwyllt ynteu dof?
Ti'n byhafio'n reit waraidd
Fan hyn wrth y stôf –
Yn hoffi hel mwythau,
Yn raenus a thew,
Yn ymestyn dy goes
Wrth lyfu dy flew,
Yn llowcio dy bysgod,
Wrth dy fodd â'th gig,
Ond wyddost ti, Tabi?
. . . Rydw i fymryn yn ddig:
Fe'th welais i di
Fan acw'n yr ardd
Yn lladd a dinistrio
Rhywbeth hardd.

Yno yr oeddet
A'th ben yn gam,
Wedi rhewi fel delw
Ar hanner cam,
Yn syllu'n llygadog
Heb na siw na miw
Ar dlysni symudol
Glöyn byw.

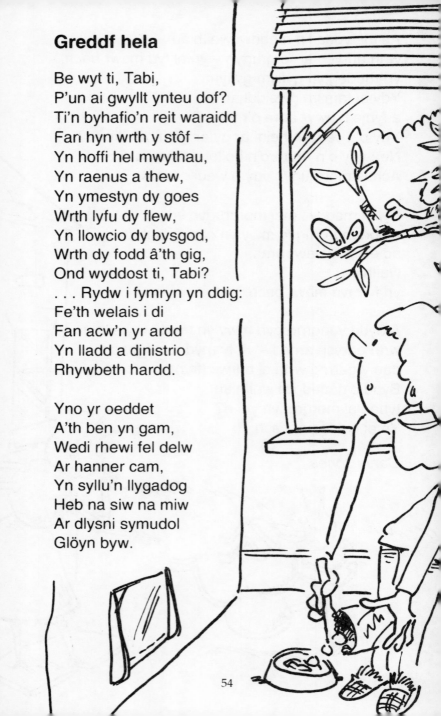

54

Gwyliet yr adenydd
Sidanaidd yn crynu
Wrth ddisgyn ac esgyn
I lawr ac i fyny,
Yn batrwm cymesur
Ar bâr o adenydd,
A'r lliw bendigedig
Yn gampwaith ysblennydd;
Gwyliet y ddawns
Rhwng blodyn a gweiryn
Fel pe bait yn dotio,
Heb symud 'run gewyn.

Ond, yn araf, gostyngaist
Dy grwper a'th gefn,
(Doedd dim cyfle i ddweud 'Sgiat!'
Nac i newid y drefn),
Fel ergyd, fe neidiaist!
Mewn chwinciad, fe'i daliaist!
O! Tabi, 'rhen snichen
Annifyr, fe'i llyncaist!
Be oedd ar dy ben di
Yn gwneud peth fel hyn?
Doeddet ti 'rioed yn llwglyd
Wedi'r llaeth a'r cig tun?

Ond wedi cysidro,
Mae'n siŵr nad oes deddf
Sydd yn gryfach i ti
Na'r un gest ti trwy reddf.

Ann (Bryniog) Davies

Gwylio'r brain

Gwyliwch chi'r brain,
Rhai clyfar yw'r rhain,
Mi ddysgwch chi lawer
Os gwyliwch chi'r brain.

Wrth groesi y caeau,
Neu frysio i'w nyth,
Y frân sy'n ehedeg
Fel bwled o syth;
A gwybod o'r gore
Bob amser mae'r rhain
Mai'r ffermwr sy'n beryg,
Nid bwgan y brain.

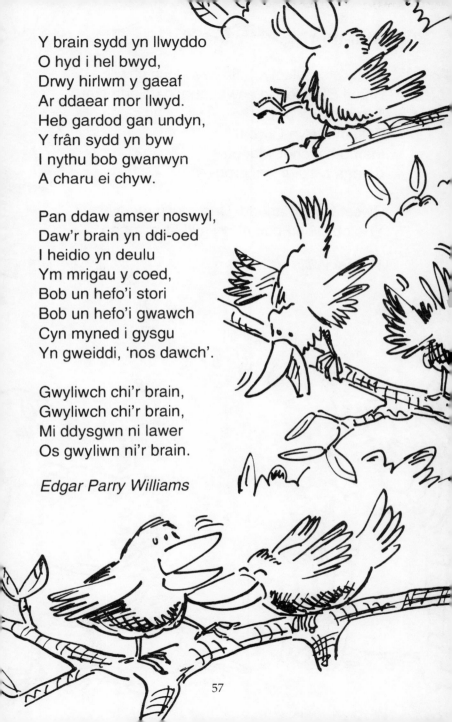

Y brain sydd yn llwyddo
O hyd i hel bwyd,
Drwy hirlwm y gaeaf
Ar ddaear mor llwyd.
Heb gardod gan undyn,
Y frân sydd yn byw
I nythu bob gwanwyn
A charu ei chyw.

Pan ddaw amser noswyl,
Daw'r brain yn ddi-oed
I heidio yn deulu
Ym mrigau y coed,
Bob un hefo'i stori
Bob un hefo'i gwawch
Cyn myned i gysgu
Yn gweiddi, 'nos dawch'.

Gwyliwch chi'r brain,
Gwyliwch chi'r brain,
Mi ddysgwn ni lawer
Os gwyliwn ni'r brain.

Edgar Parry Williams

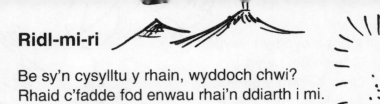

Ridl-mi-ri

Be sy'n cysylltu y rhain, wyddoch chwi?
Rhaid c'fadde fod enwau rhai'n ddiarth i mi.
Tyranasor a Dodo,
Ystlum Melyn Ciwba,
Mamoth â chôt wlanog,
Cwaga a Teigr 'sgithrog.

Cwestiwn reit anodd. Dach chi'n rhoi i fyny?
Yr ateb yw eu bod nhw i gyd 'di diflannu.

Valmai Williams

58

Dyfrig y Dwrgi

Rwy'n boddi mewn budredd o'm hamgylch,
Mae'r afon yn fochaidd a llwm,
Mae ochrau eich caniau yn finiog,
Mae'r baich rwy'n ei gario'n un trwm.

Mae'r pysgod i gyd bron â marw,
Y llygredd yn ffiaidd a chas;
Pwy fuodd yn tywallt ei wenwyn
A'r dŵr wedi newid ei flas?

Pwy daflodd y sothach i'm cartref?
Pwy luchiodd y cyfan ar lawr?
Mae pob un ohonoch yn euog,
Ond fi fydd yn talu yn awr.

Diflannodd prydferthwch fy nghartref,
Bydd rhaid i mi ddianc cyn hir;
Bydd Dyfrig y dwrgi yn trengi
A fawr neb yn poeni'n y tir.

Gwenno Dafydd

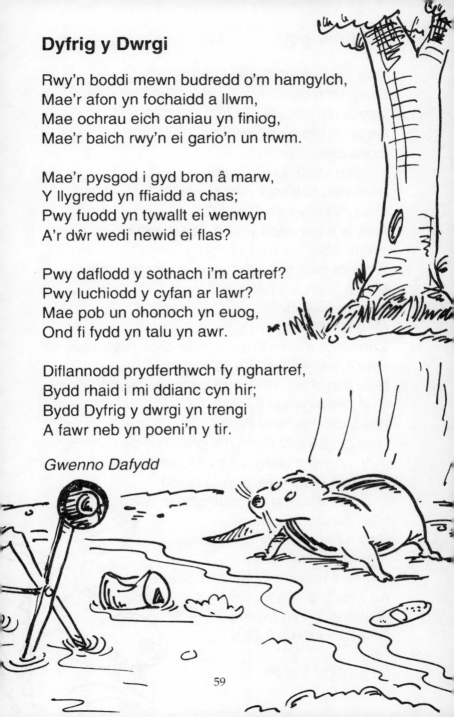

Draig ar goll

Oes rhywun wedi colli draig fach?
Draig fach goch?
Ydych chi'n hollol siŵr
Nage'ch draig chi yw hi?
Does dim coler arni.
Ys gwn i beth yw ei henw,
Blodwen, Gwladys neu Megan?
Eleri, Shirley neu Tracey?
Mae hi'n gorwedd yma'n dawel nawr,
Yn meddwl ble mae'i pherchennog
A pham mae hi neu ef wedi anghofio amdani.
Mae'n goch lliw hen flwch post
Ag ymyl aur iddi.
Mae hi'n sbeici –
Dannedd, ewinedd a chynffon bigog sydd ganddi.
Rwy'n siŵr ei bod hi'n licio rygbi.
Mae hi'n chwifio'i hadenydd bach nawr,
Ond rwy'n gafael ynddi
Rhag iddi hedfan i ffwrdd.
Mae'n byta saith pecyn o greision, dau blismon,
   tri pheint o laeth, un dyn llaeth,
    naw torth o fara, pum pobydd
    ac un ar ddeg bar o siocled yr awr.
Mae ganddi fola mawr.
Rwy'n mynd i dynnu llun ohoni.
A gwneud sawl copi
A'u dodi mewn siopau yn y pentre
Ac ar bob polyn telegraff
Gyda nodyn yn dweud –
DRAIG FACH AR GOLL.

Mihangel Morgan

Isho Isho Isho!

Os na chaf i gi at y Dolig
'Na'i strancio a stampio fy nhroed,
'Na'i redeg o gwmpas y lolfa
Fel plentyn bach hanner fy oed!

Mi af i ar streic gwrthod bwyta,
A swatio'n fy stafell dan glo,
Mi lenwaf fag siwgwr â halen,
A chysgu bob nos ar y to!

Mi rodda' 'ngwaith cartre'n y sbwriel,
A gwrthod ymolchi am fis,
Mi siafiaf fy mhen i yn streipiau,
A sticio gwm-cnoi dros fy nghrys!

Bydd bywyd mor annioddefol
Nes bydd Mam yn difaru cael plant,
Ond os caf i gi at y Dolig
Dwi'n addo byhafio fel sant!

Carys Jones

61

Y Condor

Y condor mawr a'i esgyll dwy lath o hyd
Yn hofran yn uchel uchel uwchben y byd:

'Dywed i ni, beth a weli, aderyn mawr
O graffter y glesni, wrth i ti edrych lawr?'

'Fe welaf filltiroedd o foelni lle na bu erioed
Wrth i ddynion â swnllyd beiriannau ddinistrio'r coed.

Fel welaf fynyddoedd y Pegwn yn toddi'n llyn,
A diwedd yn dod i deyrnas yr arthod gwyn.

Fe welaf fwystfilod dur yn hel pysgod yn stôr,
A chrafanc eu rhwydau milain yn disbyddu'r môr.

Fe welaf ddinasoedd moduron yn llifo 'mhob lle,
A'u nwyon gwenwynig yn chwydu i fyny i'r ne'.

Hyn oll a welaf, a hon ydi neges fy mhig –
Y rhain ydi'r pethau a ddyliai'ch gwneud chithau
yn ddig . . . '

Dyfan Roberts   62

Mwnci

'Rhy uchel yw i'w hela' – meddai'r haid.
  'Oes modd rhwydd o'i ddala?'
Awgrym Dic oedd awgrym da –
I Non wneud sŵn banana.

Huw Erith

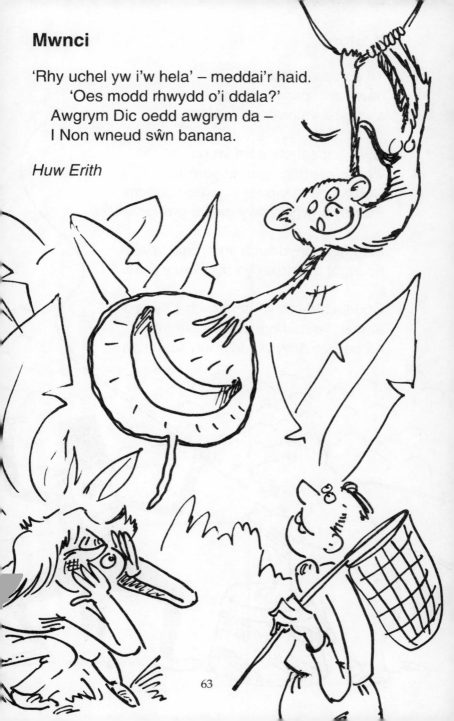

Y Sioe

Yn syrcas y dref
daw'r arth dan chwip perfformiad
a'i lygaid yn niwlog.

Gwylia rhesi ohonom yn gaeth
wedi'n syfrdanu gan ei gampau.
Gall wisgo masg fel y gorau ohonom.
Pwy sy'n gwylio pwy mewn gwirionedd?

Mae hen lonyddwch yn llygaid yr arth
ac atgof o ryddid cyn dyddiau y Sioe.

Cuddia hiraeth yn nhristwch y llygaid
am fan lle nad oes rhaid perfformio,
na bod yn rhwym i ddymuniadau dyn.

Maes ynghanol Affrica,
y tu hwnt i ddeall gwyddonwyr,
lle mae'r anifeiliaid yn cyd-orwedd
a'r unig gadwyni yw'r coed –
lle mae'r blaidd yn trigo gyda'r oen
a'r fuwch a'r arth yn cyd-eistedd.

Ac er nad ydynt yn gwybod yn y Sioe,
mae ganddo ddymuniad tawel, sicr
i gael dychwelyd i'r maes hwn
rhyw ddydd.

Aled Lewis Evans

Nodyn: Yn dilyn eitem ar y teledu lle cafwyd cae go-iawn yn
Affrica lle'r oedd anifeiliaid yn cyd-fyw ochr yn ochr.

Penri'r parot

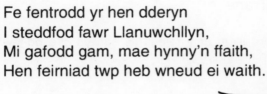

Mae gan fy modryb Marlot
Un ffrind, sef Penri'r parot;
Plu fel enfys a phig fawr gam,
Mae'n hoff o fwyta bara jam.

Mi fydd yn canu'n uchel,
A'i lais fel un Bryn Terfel
Yn taro'r nodyn – ie, top G,
Gan chwalu'r gwydrau yn tŷ ni.

Fe fentrodd yr hen dderyn
I steddfod fawr Llanuwchllyn,
Mi gafodd gam, mae hynny'n ffaith,
Hen feirniad twp heb wneud ei waith.

Sdim llawer iawn o adar
Sydd wir yn ddigon clyfar
I ganu cân fel eos fwyn –
Ac yntau'n barot hir ei drwyn.

W. Dyfrig Davies

Sgod a sglod

Un diwrnod ger Llyn Craig y Dre,
Daeth brithyll o dwn i ddim ble,
   Fe neidiodd o'r dŵr,
   A chipio heb stŵr
Fy sglodion – a'u bwyta i de.

Carys Jones

Dant y llew

Pwy fu wrthi'n brysur
yn tynnu dant y llew,
yn mentro'n agos ato
a gafael yn ei flew,
a thynnu pob un dant yn rhydd?
Beth bynnag, mae'n well gen i lygaid y dydd.

Lis Jones